D1231691

RECETAS SIN SAL

EDICIONES
edris

Jacques Lafond
    Recetas sin sal - 1a. ed. - Buenos Aires: Edris, 2006.
    72 p.; 25x17 cm.

    ISBN 950-838-088-8

    1. Recetas de Cocina sin Sal. I. Título
    CDD 641.563 2

Primera edición: junio de 2006

I.S.B.N.-10: 950-838-088-8
I.S.B.N.-13: 978-950-838-088-3

Se ha hecho el depósito que establece la Ley 11.723
© GIDESA, 2006
Bartolomé Mitre 3749 - Ciudad Autónoma de Buenos Aires
República Argentina
Impreso en Argentina - Printed in Argentina

Se terminó de imprimir en MUNDO GRÁFICO S.R.L., Zeballos 885,
Avellaneda, en junio de 2006.

Aprendamos a comer sin sal

Es casi seguro que nadie deja de utilizar la sal en las comidas por gusto, es decir, por decisión propia: en general quienes deben eliminar el sodio de la alimentación de todos los días lo hacen bajo prescripción médica, en respuesta a una dolencia que se ha presentado o a modo de prevención, para evitar su aparición.

Y es que, en líneas generales y en pocas palabras, el exceso de sal provoca un desequilibrio de sodio y potasio en el cuerpo, lo que, entre otras cosas, provoca una disminución del nivel de líquidos que debe desechar el organismo.

Las personas con problemas o antecedentes cardíacos, o con trastornos relacionados con la inadecuada circulación de la sangre, entre otros, deben plantearse eliminar la sal de sus vidas.

Si bien, afortunadamente, existen en la actualidad buenos sustitutos de la sal, en el material que les presentamos a continuación hallarán todo tipo de recetas en las que se ha priorizado el uso de determinadas especias, hierbas aromáticas e ingredientes que, de por sí, aportan gran sabor a las comidas.

Y si hablamos de hierbas, ¿por qué no conocer sus características? A continuación, una breve descripción de las que aparecen mencionadas en este libro.

AJEDREA
Tiene sabor fuerte y un aroma intenso, similar al del tomillo. Acompaña guisos, ensaladas, sopas, salsas, carnes y pescados.

ALBAHACA
Tiene sabor fuerte, con un dejo picante. Sus hojas son muy aromáticas, tanto frescas como secas. Acompañan salsas para pastas, pescados, guisos, ensaladas, arroces, pizzas y aderezos.

COMINO
Tiene sabor intenso y cálido, y debe usárselo con moderación pues tiende a invadir al resto de los ingredientes. Se utilizan sus semillas molidas, y acompaña muy bien carnes, guisos y salsas.

CORIANDRO
También llamado cilantro, es una planta de la cual se utilizan las hojas (de sabor similar al del anís) y las semillas molidas (de sabor dulzón). Acompaña sopas, ensaladas, aves y pescados.

ENELDO

Tiene sabor suave, algo dulzón. Su aroma es delicado pero persistente. Se usan tanto las semillas como las hojas. Las primeras se utilizan en guisos. Las hojas, en cambio, acompañan pescados, salsas a base de mostaza, quesos blandos y ensaladas.

ESTRAGÓN

Tiene sabor sutil, con un dejo levemente anisado y amargo. Es algo picante y tiene la particularidad de invadir rápidamente a los demás ingredientes.

JENGIBRE

Tiene sabor fuerte y especiado, ligeramente cítrico. Su aroma es fresco y picante. Acompaña muy bien ensaladas y carnes blancas, pero también postres.

MEJORANA

Tiene sabor similar al del orégano, pero más suave, y un aroma fresco y agradable. Acompaña muy bien pizzas, pastas, vegetales, escabeches, guisos y carnes rojas.

MELISA

Tiene aroma y sabor a limón. Acompaña muy bien salsas, sopas, carnes, verduras y ensaladas.

ORÉGANO

Tiene sabor fuerte y penetrante. Su aroma es identificable, aunque no demasiado intenso. Acompaña pizzas, salsas y ensaladas.

PEREJIL

Tiene sabor fuerte y con un leve dejo picante. Su aroma es suave y fresco. Acompaña sopas, caldos, salsas, carnes y ensaladas.

ROMERO

Tiene sabor seco y fuerte. Su aroma es intenso, con un leve toque picante. Es una de las hierbas más fuertemente aromáticas. Acompaña carnes rojas, verduras, pan, tomate, pizzas y papas.

SALVIA

Tiene sabor algo amargo. Su aroma es muy suave. Acompaña aves, cerdo, verduras, carnes rojas y pescados.

TOMILLO

Tiene sabor delicado y agradable. Su aroma es fuerte, similar al del orégano. Acompaña guisos, salsas, verduras y tomates.

ENSALADAS, SALSAS Y ADEREZOS

Verdiblanca

⊙ Ingredientes

Garbanzos secos	250 g
Brócoli	250 g
Cebolla	1
Ajo y perejil picados	1 cucharada
Aceite de oliva	3 cucharadas
Vino blanco	2 cucharadas
Yogur natural	100 g
Mejorana	1 cucharadita
Coriandro	1 cucharadita

⊙ Preparación

Poner en remojo los garbanzos en un recipiente con agua que los cubra, desde la noche anterior. Al día siguiente, cocinarlos en abundante agua con la mejorana hasta que estén apenas blandos. Escurrirlos y dejar que se enfríen.

Separar las flores de brócoli, lavarlas bien y cocinarlas en agua hasta que estén apenas tiernas. Retirarlas y colocarlas en un baño de María invertido (agua con hielo) para detener la cocción de inmediato.

Picar finamente la cebolla y rehogarla en el aceite hasta que esté transparente.

Retirarla y procesarla junto con el vino y el yogur. Reservar.

En una ensaladera, colocar y mezclar los garbanzos con el brócoli, el coriandro, el ajo y el perejil.

Bañarlos con la crema de yogur y cebollas y servir.

Sustanciosa

⊙ Ingredientes

Arroz integral	200 g
Manzanas verdes	2
Almendras peladas	100 g
Crema de leche	100 g
Mayonesa	3 cucharadas
Jugo de 1 limón	
Cebolla	1 (pequeña)
Perejil picado	1 cucharada
Orégano	1 cucharadita
Jengibre fresco rallado	1/2 cucharadita
Pimienta blanca	a gusto

⊙ Preparación

Cocinar el arroz hasta que esté a punto. Escurrirlo y dejar que se enfríe. Reservar.

Pelar las manzanas, quitarles los centros y cortarlas en cubos medianos.

Rociar los cubos con el jugo de limón para impedir su oxidación.

Picar groseramente las almendras y mezclarlas en una ensaladera con el arroz y los cubos de manzana.

Para el aderezo, rallar finamente la cebolla y mezclarla con la crema de leche, la mayonesa, el orégano, el perejil, el jengibre y la pimienta.

Disponer el aderezo sobre la ensalada, mezclar bien y servir.

Lejano Oriente

⊙ Ingredientes

Arroz	200 g
Pepinillos en vinagre	3
Zanahorias	3
Remolachas	2
Perejil picado	1 cucharada
Mayonesa	3 cucharadas
Repollo blanco	6 ó 7 hojas grandes
Salsa de soja y pimienta negra	a gusto

⊙ Preparación

Cocinar el arroz en abundante agua y, cuando esté al dente, colarlo y enfriarlo.
Condimentarlo con salsa de soja y pimienta, mezclar con la mayonesa y reservar.
Cocinar las remolachas en una olla con agua, retirarlas, enfriarlas, pelarlas y ra-
llarlas con la parte gruesa del rallador.
Rallar también las zanahorias y picar los pepinillos.
Cortar en juliana el repollo.
Cubrir la base de una ensaladera con la juliana de repollo.
Mezclar el arroz reservado con la remolacha, la zanahoria y los pepinillos picados
y colocar la preparación en la ensaladera, sobre la base de repollo.
Distribuir por encima el perejil picado, y llevar a la heladera dos horas antes de
servir.

Pesto express

⊙ Ingredientes

Ajo	10 dientes
Albahaca fresca	1 puñado de hojas
Nueces peladas	100 g
Queso rallado light	50 g
Aceite de oliva y agua	cantidad necesaria

⊙ Preparación

Picar los dientes de ajo. Trabajarlos en el mortero hasta obtener una pasta. (De no tener mortero, se puede trabajar con la procesadora).

Agregar, de a poco, la albahaca, el queso y las nueces y seguir machacando.

Aligerar el pesto agregando aceite y agua hasta obtener la consistencia deseada.

Salsa filetto

⊙ Ingredientes

Tomates redondos maduros	8
Aceite de oliva	2 cucharadas
Ajo	2 dientes
Orégano	1 cucharadita
Hojas de albahaca	a gusto
Pimienta negra	a gusto

⊙ Preparación

Pelar los dientes de ajo y aplastarlos con la parte plana de la hoja del cuchillo.

Pelar los tomates y triturar su pulpa.

Calentar el aceite en una sartén y rehogar los ajos unos momentos.

Incorporar la pulpa de tomate y sazonar con la pimienta y el orégano.

Cocinar a fuego bajo unos cinco minutos y, unos momentos antes de apagar el fuego, agregar las hojas de albahaca trituradas.

Salsa holandesa

⊙ Ingredientes

Yemas de huevo	4
Agua	4 cucharadas
Margarina light	100 g
Jugo de limón	1 cucharada
Pimienta negra y nuez moscada	a gusto
Aceite de oliva y agua	cantidad necesaria

⊙ Preparación

Batir las yemas con el agua y el aceite, y llevar a baño de María, sobre la hornalla de gas, revolviendo constantemente hasta obtener una crema espesa.
En ese momento, incorporar el jugo de limón y la margarina, cortada en trocitos.
Revolver, retirar del fuego y sazonar con pimienta y nuez moscada.

Mayonesa express

⊙ Ingredientes

Huevo	1
Aceite de oliva	1 taza
Vinagre de alcohol	1 cucharada
Pimienta negra	a gusto

⊙ Preparación

Colocar la mitad del aceite, el huevo, el vinagre y la pimienta en un bol y batir, preferentemente con batidora eléctrica.

Ir agregando la mitad restante de aceite en forma de hilo, sin dejar de batir, hasta obtener una salsa untuosa.

Caldo rápido de vegetales

⊙ Ingredientes

Zanahorias	3
Puerros	2
Apios	2 tallos
Tomate redondo	1
Calabaza	200 g aproximadamente
Aceite de oliva	6 ó 7 cucharadas

⊙ Preparación

Cortar las zanahorias y los tallos de apio en trozos de 2 cm de ancho; los puerros, en rodajas; el tomate, en gajos; y la calabaza, en cubos.

Calentar el aceite en una olla y agregar todos los vegetales. Rehogarlos unos momentos y luego verter agua para que los cubra.

Cocinar a fuego moderado, con la olla tapada, hasta que el tomate se haya desintegrado y las verduras estén blandas.

Este es el caldo que se menciona en las recetas de este libro que incluyen el caldo rápido de vegetales en su lista de ingredientes.

Sopa vegetal

⊙ Ingredientes

Caldo rápido de vegetales	3 tazas (Ver receta en pág. 13)
Brócoli	1 planta
Leche descremada	1 taza
Almidón de maíz	1 cucharada
Aceite de oliva	3 ó 4 cucharadas
Perejil picado	2 cucharadas
Ajo	2 dientes
Pimienta y tomillo	a gusto
Hojas de apio	cantidad necesaria para decorar

⊙ Preparación

Separar las flores de brócoli y hervirlas hasta que estén tiernas.

Retirar y colocar en un baño de María invertido (agua con hielo) para detener la cocción.

Luego, procesar el brócoli y licuarlo con la leche.

Picar los dientes de ajo y rehogarlos en una olla en la que se habrá calentado el aceite.

Cuando el ajo esté dorado, verter el caldo de vegetales y el licuado de brócoli y leche.

Seguir cocinando, ahora a fuego máximo, revolviendo de tanto en tanto, unos diez minutos.

Disolver el almidón de maíz en un pocillo de agua fría y agregarlo a la preparación, sin dejar de revolver, hasta que espese.

Retirar la sopa del fuego y sazonar con pimienta y tomillo.

Repartirla en platos y decorar cada uno con dos o tres hojitas de apio.

Sopa crema de calabaza

⊙ Ingredientes

Calabaza	750 g
Cebollas	2
Leche descremada	1 taza
Crema de leche	3 cucharadas
Agua caliente	2 tazas
Albahaca fresca	6 ó 7 hojitas
Mejorana	1 cucharadita
Jengibre fresco rallado	1 pizca
Aceite de oliva	6 ó 7 cucharadas

⊙ Preparación

Rallar las cebollas y cortar la calabaza en cubos medianos.

Calentar el aceite en una olla y rehogar unos instantes la ralladura de cebollas.

Luego, verter el agua caliente, la albahaca y la mejorana, y revolver.

Cocinar a fuego fuerte, con la olla tapada, hasta que la calabaza esté blanda.

Licuar la sopa y regresarla a la olla.

Incorporar la leche, la crema y el jengibre y cocinar a fuego moderado hasta que el líquido reduzca y se obtenga una sopa espesa y cremosa.

Sopa del altiplano

⊙ Ingredientes

Choclos frescos	6
Tomates redondos	3
Cebollas de verdeo	2
Puerros	2
Perejil	1 rama
Jugo de naranja	2 cucharadas
Queso blanco sin sal	a gusto
Agua	1 l
Mejorana	2 cucharaditas
Pimentón	1 pizca
Pimienta	a gusto

⊙ Preparación

Desgranar los choclos, pelar y picar los tomates, cortar los puerros y las cebollas en rodajas.

Llevar a hervor el agua en una olla y cocinar allí, a fuego lento, los vegetales.

Incorporar la mejorana, el perejil —previamente picado— y el pimentón.

Cuando los vegetales estén cocidos, agregar el jugo de naranja y hervir unos minutos más.

Mezclar el queso blanco con la pimienta. Servirlo en copetes, sobre la sopa de choclos distribuida en cazuelas individuales.

CARNES ROJAS

Peceto mechado con hierbas

⊙ Ingredientes

Peceto	1 kg
Mermelada de naranjas light	4 cucharadas
Vino blanco	1 vaso
Aceite de oliva	3 cucharadas
Jugo de naranja	1/2 taza
Romero picado	1 cucharada
Salvia picada	1 cucharada
Ajo	3 dientes
Canela	1 cucharadita al ras
Pimienta y tomillo	a gusto

⊙ Preparación

Picar finamente los dientes de ajo y mezclarlos con la salvia, el romero y el tomillo.
Hacer un corte profundo en el centro del peceto y mecharlo con la mezcla de ajo y hierbas.
Colocar el peceto en una fuente apta para horno, ligeramente aceitada.
Mezclar el vino con el jugo de naranja y bañar con ellos la carne.
Cocinar el peceto a fuego moderado durante cuarenta y cinco minutos, agregando agua al fondo de cocción, para evitar que se seque y se queme.
Retirar la carne del horno y de la fuente y recuperar el fondo de cocción.
Mezclarlo con la mermelada y la canela y sazonar con pimienta, a gusto.
Cortar el peceto en tajadas y servirlo con la salsa.

Peceto en vinagreta

⊙ Ingredientes

Peceto	1/2 kg
Caldo rápido de vegetales	1 taza (Ver receta en pág. 13)
Agua	1 l
Vinagre de alcohol	1 taza
Aceite de oliva	2 cucharadas
Laurel	1 hoja
Zanahorias	2
Cebolla	1
Perejil picado	a gusto
Pimienta, romero y tomillo	a gusto

⊙ Preparación

Pelar las zanahorias y cortarlas en bastones. Cortar la cebolla en rodajas y separar los anillos.

Verter en una olla el agua, la mitad del vinagre y todo el caldo rápido de vegetales.

Cocinar a fuego fuerte hasta que hierva y continuar la cocción dos minutos más.

Bajar el fuego a moderado y agregar a la cocción el peceto, entero, y el laurel.

Cocinar unos treinta minutos y luego agregar los bastones de zanahoria.

Cocinar unos quince minutos más y agregar los aros de cebolla. Seguir cocinando hasta que la zanahoria esté apenas blanda. Retirar del fuego.

Dejar enfriar la carne, cortarla en rodajas delgadas y disponerlas en una fuente.

Incorporar al caldo la mitad restante de vinagre, el aceite, pimienta, romero, tomillo y el perejil.

Bañar el peceto con esta vinagreta y conservar en la heladera hasta el momento de servir.

Para reemplazar la sal por la de bajo contenido en sodio, hágalo en pequeñas cantidades, cada vez menores. Pronto, no será un ingrediente necesario.

Escalopes de ternera

⊙ Ingredientes

Bifes de nalga de ternera	1/2 kg
Queso blanco sin sal	150 g
Espinaca	1 atado
Vino blanco	100 cc
Pimienta y tomillo	a gusto
Aceite de oliva	3 ó 4 cucharadas

⊙ Preparación

Desgrasar los bifes de ternera y aplanarlos para hacerlos más delgados, con la ayuda de una maza para carnes.

Pimentarlos y untarlos de un lado con el queso blanco.

Lavar las hojas de espinaca y desechar los tallos.

Colocar una hoja de espinaca sobre cada bife y aromatizar con el tomillo.

Calentar el aceite en una sartén amplia y disponer allí los bifes, con la espinaca hacia arriba.

Cocinarlos hasta que estén dorados y, en ese momento, verter el vino blanco en la sartén.

Raspar con cuchara de madera el fondo de cocción para que se integre con el vino.

Bajar el fuego a moderado y seguir cocinando unos instantes más.

Para que la preparación esté libre de grasas, sirva los escalopes sin su jugo.

Lomo de cerdo con crema de queso y romero

⊙ Ingredientes

Lomo de cerdo	1
Queso blanco sin sal	250 g
Laurel	2 hojas
Miel	1 cucharada
Jugo de limón	1 cucharada
Melisa	1 cucharadita
Romero	1 cucharadita
Pimienta y coriandro	a gusto
Mayonesa	6 cucharadas
Leche descremada	cantidad necesaria
Agua	cantidad necesaria

⊙ Preparación

Desgrasar el lomo de cerdo y colocarlo en una olla.

Verter agua y leche en iguales proporciones, en cantidad suficiente para cubrirlo.

Cocinarlo con la olla tapada, a fuego bajo, junto con el romero y las hojas de laurel.

Cuando el lomo esté cocido, retirar la olla del fuego y dejar que la carne se enfríe en el recipiente.

Mezclar en un bol el queso blanco con la miel, el jugo de limón, la mayonesa, la melisa, pimienta y coriandro. Reservar en la heladera.

Retirar el lomo de la olla, cortarlo en tajadas y servirlo salseado.

Peceto agridulce

⊙ Ingredientes

Peceto	1 mediano
Manzanas verdes	2
Kiwis	2
Jugo de naranja	1 taza
Jugo de limón	1 pocillo
Nueces enteras	1 puñado
Puerros	2
Jerez	3 cucharadas
Jengibre fresco rallado	1 cucharadita
Ajedrea	1 cucharada
Mejorana	1 cucharadita
Pimienta	a gusto
Aceite de oliva	6 cucharadas
Miel	2 cucharadas

⊙ Preparación

Quitarles los centros a las manzanas y cortarlas en rodajas de 3 mm de espesor, aproximadamente. Dejarlas sin pelar y disponerlas en una fuente para horno.

Rociar las rodajas de manzana con el jugo de limón mezclado con el jengibre.

Picar los puerros y mezclarlos con el aceite y el jugo de naranja.

Colocar el peceto sobre la base de manzanas y cubrirlo con la mezcla recién preparada.

Sazonar con la mejorana, la ajedrea y pimienta.

Llevar a horno de temperatura moderada hasta que esté cocido, agregando agua de ser necesario.

Mientras tanto, pelar los kiwis y cortarlos en rodajas. Picar finamente las nueces y mezclarlas con el jerez y la miel.

Antes de retirar el peceto del horno, cubrirlo con las rodajas de kiwi y bañarlo con la mezcla de nuez, miel y jerez.

Mantenerlo unos minutos más en el horno, con el fuego apagado, y servir.

Colita de cuadril
con manto de ajíes

⊙ Ingredientes

Colita de cuadril	1
Ajíes amarillos	2
Ajíes rojos	2
Cebolla de verdeo	4
Caldo de carne desgrasado	cantidad necesaria
Ajo	3 dientes
Tomillo	1 cucharada
Mejorana	1 cucharada
Aceite de oliva	6 cucharadas

⊙ Preparación

Pimentar la carne y sellarla en toda su superficie, a fuego fuerte, en una olla ligeramente aceitada. Retirarla y reservar.

Pelar los dientes de ajo; picar las cebollas de verdeo y cortar los ajíes en juliana.

Colocar la carne en una placa para horno y espolvorear sobre ella el tomillo y la mejorana. Cocinarla en horno fuerte durante treinta minutos, agregando de tanto en tanto caldo para evitar que se queme.

Mientras tanto, calentar el aceite en una sartén y rehogar los ajos enteros, la cebolla de verdeo y los ajíes.

Verter una taza de caldo de carne y cocinar hasta que los ajíes estén tiernos.

Retirar la carne del horno y servirla con la salsa de ajíes.

Clásico pan de carne

⊙ Ingredientes

Carne picada magra	3/4 de kg
Salsa filetto	1 taza (Ver receta en pág. 9)
Cebolla	1
Ajo	1 diente
Claras de huevo	3
Yema de huevo	1
Puré de papas espeso	1/2 taza
Vino blanco	6 cucharadas
Aceite de oliva	8 cucharadas
Perejil, pimienta y albahaca	a gusto

⊙ Preparación

Picar la cebolla, el ajo, la albahaca y el perejil.

Calentar el aceite en una sartén y rehogar los ingredientes que se acaban de picar, hasta que la cebolla esté transparente.

En ese momento, incorporar la carne picada, pimienta y el vino blanco. Revolver con cuchara de madera para que la carne se cocine en forma pareja.

Batir la yema y las claras, retirar la carne del fuego y mezclarla en un bol con el batido de huevos. Agregar el puré, revolver bien y reservar.

Aceitar ligeramente un molde tipo budinera y colocar allí la preparación, presionando bien con la cuchara de madera o con una espátula.

Llevar a horno fuerte durante veinte minutos, aproximadamente.

Calentar la salsa filetto y presentar el pan de carne bañado con ella.

Costillas de cordero
con crema golf

⊙ Ingredientes

Costillas de cordero	4
Repollo colorado	1 planta pequeña
Romero fresco	3 ó 4 ramas
Jugo de naranja	1 taza
Jugo de limón	1
Oporto	1 pocillo
Crema de leche	100 g
Salsa golf	2 cucharadas
Aceite	3 cucharadas

⊙ Preparación

Preparar una marinada con los jugos cítricos y el oporto.

Disponer las costillas en una fuente y bañarlas con la marinada. Dejarlas en reposo unas tres horas.

Mientras tanto, cortar el repollo en juliana y reservar. Mezclar la crema de leche con la salsa golf y una cucharada de jugo de naranja, y reservar también.

Calentar el aceite en una sartén y cocinar allí las costillas, de modo que se doren de ambos lados. Bajar el fuego a mínimo y agregar una tercera parte del jugo de marinada. Cocinar unos minutos más, hasta que la carne esté cocida.

Calentar la crema golf, y servirla en una salsera, junto a las costillas espolvoreadas con el romero y la juliana de repollo. Acompañar con tostadas de pan francés con provenzal.

CARNES BLANCAS

Pechugas en crema de limón

⊙ Ingredientes

Pechugas de pollo	2
Caldo de ave desgrasado	1 taza
Cebollas de verdeo	3
Puerros	3
Vino blanco	3 cucharadas
Jugo de limón	3 cucharadas
Ralladura de cáscara de limón	2 cucharadas
Almidón de maíz	2 cucharadas
Aceite de oliva	6 cucharadas
Pimienta, romero y salvia	a gusto

⊙ Preparación

Quitarles la piel a las pechugas y desgrasarlas. Cortarlas en tiras.

Picar las cebollas de verdeo y los puerros.

Calentar el aceite en una sartén y rehogar allí los puerros y las cebollas de verdeo.

Unos instantes después agregar el vino blanco y seguir cocinando.

Incorporar las tiras de pollo y remover bien para que se doren en forma pareja.

Incorporar el caldo, bajar el fuego a moderado y seguir cocinando.

Disolver el almidón en el jugo de limón y mezclarlo con la ralladura.

Verter esta mezcla en la sartén, revolver continuamente y sazonar con pimienta y las hierbas aromáticas.

Retirar del fuego cuando la salsa espese y servir.

Supremas agridulces

⊙ Ingredientes

Supremas de pollo	2
Curry	1 cucharadita
Pimienta de Cayena	a gusto
Cebollas	2
Manzanas verdes	2
Repollo colorado	1/2 planta pequeña
Harina de trigo	6 cucharadas colmadas
Leche descremada	1 taza
Aceite de oliva	cantidad necesaria

⊙ Preparación

Pincelar las supremas con aceite y condimentarlas con el curry.

Colocarlas en una placa para horno y cocinarlas a fuego máximo hasta que estén doradas, dándolas vuelta a mitad de la cocción. Reservar.

Picar groseramente las cebollas y el repollo, en fina juliana.

Calentar aceite en una sartén y rehogar las cebollas picadas hasta que estén transparentes.

En ese momento, agregar la harina y la leche, de a poco, sin dejar de revolver, para formar una salsa liviana. Retirar y reservar.

Quitarles a las manzanas el centro, pelarlas y cortarlas en gajos delgados.

Cocinarlas en una sartén antiadherente hasta que estén doradas.

Cubrir las supremas con la crema de repollo y cebolla y acompañar con los gajos de manzana, sazonados con la pimienta de Cayena.

Abanico de pollo y vegetales

⊙ Ingredientes

Pechugas de pollo	2
Zucchinis	2
Ají amarillo	1
Ají rojo	1
Puerros	2
Caldo rápido de vegetales	3 tazas (Ver receta en pág. 13)
Aceite de oliva	4 cucharadas
Vinagre al estragón	4 cucharadas
Mostaza en polvo	1/2 cucharadita

⊙ Preparación

Quitarles la piel a las pechugas y desgrasarlas.

Hervirlas en el caldo hasta que estén cocidas. Retirarlas y dejar que se enfríen.

Mientras tanto, cortar en juliana los zucchinis y los ajíes; a los puerros, cortarlos en rebanadas sesgadas.

Hervirlas en una olla con abundante agua unos diez minutos y luego pasarlas a un baño de María invertido (agua con hielo) para detener la cocción y enfriarlas.

Cortar las pechugas en tajadas y disponerlas en una fuente plana para servir, a modo de abanico, intercalando entre ellas las verduras cocidas.

Preparar el aderezo batiendo ligeramente el aceite con el vinagre y la mostaza en polvo, y rociar el abanico.

Supremas con crema de choclo

⊙ Ingredientes

Supremas de pollo	2
Aceite de oliva	1 cucharada
Curry	1 cucharadita
Pimienta de Cayena	1 cucharadita
Cebollas	2
Harina de trigo	2 cucharadas
Leche descremada	1 taza
Mezcla de romero, salvia y eneldo	1 cucharada
Choclo cremoso	1/2 lata
Almendras fileteadas	25 g
Aceite de oliva	cantidad necesaria

⊙ Preparación

Pincelar las supremas con aceite y condimentarlas con el curry. Colocarlas en una placa para horno y cocinarlas hasta que estén doradas, dándolas vueltas a mitad de la cocción.

Mientras tanto, picar las cebollas groseramente.

Calentar unas 6 cucharadas de aceite en una sartén y rehogar allí las cebollas picadas, hasta que estén transparentes.

En ese momento, retirar del fuego y agregar la harina. Revolver rápidamente con cuchara de madera mientras se vierte, de a poco, la leche.

Regresar la sartén al fuego y seguir cocinando sin dejar de revolver hasta que espese.

Incorporar las hierbas y el choclo cremoso. Cocinar unos instantes más.

Disponer las pechugas en la fuente en la que se van a servir y salsearlas con la crema de choclo y cebolla.

Espolvorear con las almendras fileteadas y pimentar, justo antes de servir.

Pollo rápido al ajillo

⊙ Ingredientes

Supremas de pollo	2
Ajo	6 dientes
Jugo de limón	1 pocillo
Vino blanco	1 pocillo
Romero	1 cucharadita
Tomillo	1 cucharadita
Aceite de oliva	1 pocillo

⊙ Preparación

Picar los dientes de ajo y colocarlos en un bol pequeño con la mitad del aceite y las hierbas aromáticas. Revolver bien y reservar.

Cortar el pollo en bastones.

Calentar el aceite restante en una sartén amplia o un wok y saltear allí el pollo, moviéndolo para que se dore en forma pareja.

Incorporar el jugo de limón y el vino y seguir cocinando a fuego fuerte dos o tres minutos más.

En ese momento, agregar la preparación aromática de ajos y seguir cocinando unos momentos más. Servir bien caliente.

Pavita a la crema

⊙ Ingredientes

Pavita	4 presas
Naranja	1
Limón	1
Vino blanco	1 vaso
Almendras picadas	1 puñado
Crema de leche	200 g
Cebollas de verdeo	4
Echalottes	4
Romero	1 cucharadita
Tomillo	1 cucharadita
Jengibre fresco rallado	1 cucharadita
Pimienta	a gusto
Caldo rápido de vegetales	1 taza (Ver receta en pág. 13)
Aceite de oliva	cantidad necesaria

Ajíes rellenos primavera / pág. 45

Supremas agridulces / pág. 28

Spaghetti tailandeses / pág. 52

Lomo de cerdo con crema de queso y romero / pág. 21

Caseritos al pesto de almendras / pág. 55

Copa fresca de atún / pág. 37

⊙ Preparación

Rallar la cáscara del limón y de la naranja y reservar. Exprimir ambas frutas.
Quitarles la piel a las presas de pavita y rociarlas con el vino, el jugo de limón y el de naranjas.
Espolvorearlas con el tomillo y llevarlas a la heladera una o dos horas.
Mientras tanto, picar las cebollas y los echalottes.
Calentar unas 6 cucharadas de aceite de oliva en una sartén amplia y rehogar allí las cebollas y los echalottes.
Cuando comiencen a dorarse, agregar las presas de pavita y dorarlas apenas de ambos lados.
Verter el caldo, pimentar y dejar que se cocine a fuego moderado unos quince minutos.
Agregar la crema de leche, las almendras, el romero y el jengibre, y la ralladura de cáscara de limón y naranja.
Cocinar a fuego lento hasta que la carne de pavita esté cocida.

Cazuela abundante

⊙ Ingredientes

Pechugas de pollo	4
Champiñones	100 g
Choclos	3
Zapallo	1/2 kg
Batatas	1/2 kg
Cebolla	1
Tomates	2
Ají rojo	1
Perejil picado	2 cucharadas
Jugo de naranja	4 cucharadas
Romero	1 cucharadita
Salvia	1 cucharadita
Laurel	1 hoja
Coriandro	1 cucharadita
Pimienta	a gusto
Harina	cantidad necesaria
Aceite de oliva y agua	cantidad necesaria

⊙ Preparación

Desgranar los choclos; quitarle la piel y la grasa a las pechugas, y cortarlas en trozos pequeños; cortar los champiñones por la mitad, rallar la cebolla, pelar y triturar los tomates; cortar el ají en juliana.

Cortar las pechugas en dados medianos y pasarlos por harina.

Calentar alrededor de un pocillo de aceite en una sartén amplia o wok y freír allí los dados de pollo.

Cuando estén dorados, agregar los granos de choclo, los champiñones, la cebolla, los tomates y el ají.

Revolver con cuchara de madera y cocinar a fuego moderado.

Mientras tanto, cortar el zapallo y las batatas en dados pequeños y agregarlos a la cocción.

Agregar la hoja de laurel y el agua. Dejar que se cocine a fuego lento y, cuando esté casi finalizada la cocción, agregar el jugo de naranja y las hierbas.

Cocinar unos momentos más y servir.

Pollo al champiñón

⊙ Ingredientes

Pollo	1
Champiñones	200 g
Tomates	2
Cebolla	1
Ajo	2 dientes
Ajedrea	1 cucharadita
Pimienta	a gusto
Mejorana	2 cucharaditas
Canela	1 pizca
Jugo de naranja	1 pocillo
Vino blanco	1 pocillo
Crema de leche	1 pocillo
Agua	1 taza
Aceite de oliva	cantidad necesaria

⊙ Preparación

Quitarle la piel y la grasa al pollo y trozarlo en presas.

Cortar los champiñones, rallar la cebolla, picar el ajo y pelar los tomates. Ponerlos en una olla con un chorrito de aceite, junto con los trozos de pollo, hasta que éstos se doren. Añadir el jugo de naranja, el vino y el agua.

Cuando el pollo esté a medio cocinar, verter la crema y condimentar con la pimienta, la canela, la mejorana y la ajedrea. Dejar que se cocine con la olla tapada y servir bien caliente.

PESCADOS

Copa fresca de atún

⊙ Ingredientes

Atún al natural	300 g
Queso blanco sin sal	3 cucharadas
Mayonesa light	2 cucharadas
Cebollas	1
Pimentón, pimienta y eneldo	a gusto

⊙ Preparación

Picar finamente las cebollas.

Desmenuzar el atún y mezclarlo con las cebollas, el queso blanco y la mayonesa.

Condimentar, sin utilizar todavía el pimentón, y mezclar bien.

Repartir la mezcla en cuatro copas, agregarles una pizca de pimentón a cada una y llevar a la heladera. Servir frío.

Lenguado con ratatouille

⊙ Ingredientes

Filetes de lenguado	1 kg
Berenjenas	1/2 kg
Tomates	4
Ají rojo	1
Zucchinis	2
Cebollas	2
Ajo	2 dientes
Caldo rápido de vegetales	1/2 taza (Ver receta en pág. 13)
Perejil picado	2 hojas
Laurel	2 hojas
Tomillo	2 ramitas
Pimienta	a gusto

⊙ Preparación

Cortar en cubos pequeños las berenjenas, los tomates, el ají y los zucchinis.
Picar las cebollas y machacar los dientes de ajo.

En una olla, verter el caldo de verduras y poner las berenjenas trozadas. Cocinar durante cinco minutos y agregar las cebollas y el ají. Continuar la cocción durante cinco minutos más.

Añadir los dientes de ajo y los zucchinis. Continuar cocinando por tres minutos más.

Al final, agregar los tomates, el perejil, el laurel, el tomillo y la pimienta. Cocinar durante tres minutos más.

Acomodar los filetes sobre el ratatouille de verduras que se formó en la olla, taparla y cocinar hasta que el pescado esté listo. Servir inmediatamente bien caliente.

Merluza al horno

⊙ Ingredientes

Filetes de merluza	1/2 kg
Cebolla	1
Zanahorias	2
Papa	1
Ajo	1 diente
Perejil picado	1 cucharada
Salvia picada	1 cucharadita
Aceite de oliva	1 pocillo

⊙ Preparación

Cortar la papa, las zanahorias y la cebolla en rodajas.

Colocarlas por capas en una fuente para horno: en primer lugar, la papa; en segundo, las zanahorias; finalmente, las cebollas.

Sobre las verduras, disponer los filetes de merluza.

Picar el ajo y mezclarlo con el perejil, la salvia y el aceite.

Rociar esta preparación sobre los filetes y llevar a horno moderado unos treinta minutos, o hasta que las verduras estén cocidas.

VERDURAS

Pañuelos hojaldrados

⊙ Ingredientes

Tapa rectangular de masa de hojaldre	1
Espárragos	1 atado
Espinacas	1/2 kg
Crema de leche	1 pocillo
Huevo	1
Aceite de oliva	6 ó 7 cucharadas
Pimienta	a gusto

⊙ Preparación

Estirar la masa de hojaldre con el palo de amasar para afinarla, y luego cortar cuadrados de 6 cm de lado, en cantidad par.

Batir el huevo y pintar con él cada cuadrado de masa. Hornear los cuadrados a fuego fuerte, hasta que queden dorados y crocantes. Reservar.

Limpiar los espárragos y cortar las puntas en secciones de 2 cm.

Calentar el aceite en una sartén y rehogar los espárragos. Pimentar, retirar y reservar en caliente.

Lavar las espinacas, picarlas y rehogarlas en la misma sartén. Mezclarlas con la crema, revolver con cuchara de madera y retirar del fuego.

Mezclar la crema de espinacas con los espárragos y repartir la preparación en la mitad de los cuadrados de hojaldre.

Tapar con la otra mitad y servir.

Omelettes especiales

⊙ Ingredientes

Huevos	2
Claras de huevo	4
Ajo	2 dientes
Cebolla	1
Camarones	200 g
Champiñones	100 g
Perejil picado	1 cucharada
Salsa de soja	2 cucharadas
Aceite de oliva	cantidad necesaria

⊙ Preparación

Picar el ajo y la cebolla. Limpiar los champiñones con un lienzo seco y filetearlos. Precalentar una sartén con un chorrito de aceite y poner a dorar la cebolla, el ajo y los champiñones a fuego medio.

Agregar los camarones, el perejil y la salsa de soja. Apagar el fuego y reservar esta preparación.

En un recipiente aparte, batir los huevos y las claras. Colocar una cuarta parte de este batido en una sartén pequeña, previamente precalentada con un chorrito de aceite. La omelette estará lista cuando pueda desprenderse del recipiente. Cuando la omelette esté lista, agregar una cuarta parte del relleno de camarones, doblar la omelette y servir.

Repetir el mismo procedimiento con el resto de la preparación de las claras y los huevos, por un lado, y con el relleno de camarones, champiñones, ajo y cebolla, por el otro.

Omelette de brócoli

⊙ Ingredientes

Brócoli	1 planta
Puerro	1
Huevos	6
Aceite de oliva	4 ó 5 cucharadas
Queso mozzarella	50 g
Leche	3 ó 4 cucharadas
Nuez moscada	a gusto

⊙ Preparación

Separar las flores del brócoli, lavarlas y cocinarlas en una olla con agua hasta que estén tiernas (entre cinco y diez minutos). Retirarlas y pasarlas a un baño de María invertido (agua con hielo) para detener la cocción. Picar finamente y reservar.
Aparte, pelar el puerro, cortarlo en juliana y rehogarlo en la sartén con el aceite.
Batir los huevos con la leche y verter esta mezcla en la sartén.
Agregar el brócoli picado y seguir cocinando a fuego suave, sin revolver, hasta que se forme una omelette.
Pasar la omelette a una fuente para horno y cubrirla con queso y nuez moscada.
Gratinar durante cinco minutos. Servir caliente.

Omelettes de queso y ajíes

⊙ Ingredientes

Ajíes rojos	3
Cebollas	2
Ajo	2 dientes
Huevos	2
Harina	50 g
Leche	3 cucharadas
Queso mozzarella	100 g
Aceite de oliva	cantidad necesaria
Pimienta	a gusto

⊙ Preparación

Lavar los ajíes y cortarlos por la mitad. Sacarles las semillas y cortarlos en juliana. Pelar las cebollas, cortarlas en juliana y picar bien los ajos.

Calentar un chorro de aceite en una sartén y rehogar los ajíes, las cebollas y los ajos hasta que la cebolla esté transparente. Retirar del fuego.

Desmenuzar la mozzarella y agregarla a la preparación. Revolver y reservar.

Para las omelettes, mezclar la harina con la leche, los huevos y la pimienta. Batir hasta formar una pasta líquida.

Dividir esta preparación en cuatro porciones y llevar cada una de ellas a una sartén pequeña, precalentada con un chorrito de aceite.

Cocinar dos o tres minutos a fuego fuerte y agregar un cuarto del relleno de queso y ají. Cuando el batido se despegue de la sartén, doblar por la mitad la omelette. Cocinar unos instantes más para que el queso se funda, y retirar.

Repetir el procedimiento tres veces, para obtener cuatro omelettes, y servir.

Ajíes rellenos primavera

⊙ Ingredientes

Ají rojo	1
Ají verde	1
Ají amarillo	1
Arroz blanco	1 taza
Cebollas	2
Cebollas de verdeo	3
Queso Port Salut light	100 g
Aceite de oliva	6 ó 7 cucharadas
Ajo y perejil picados	1 cucharada
Pimienta, comino y orégano	a gusto

⊙ Preparación

Lavar los ajíes y cortarles la tapa superior y luego, cortarlos en mitades y retirar todas las semillas.

Sazonarlos por dentro con pimienta, comino y orégano.

Hervir el arroz en una olla con agua hasta que esté a punto.

Picar finamente las cebollas y las cebollas de verdeo y rehogarlas en una sartén con el aceite.

Retirar y mezclar con el arroz. Cortar el queso en cubos pequeños —reservar algunos— e integrarlos a la mezcla de arroz.

Revolver y rellenar los ajíes y distribuir sobre la superficie los cubitos de queso reservados y el ajo y el perejil.

Disponer los ajíes en una placa para horno en la que se habrá colocado un zócalo de agua y hornear durante veinte o veinticinco minutos, a fuego moderado.

Tarta de chauchas y queso

⊙ Ingredientes

Masa

Harina de trigo	100 g
Harina integral superfina	200 g
Clara de huevo	1
Queso blanco sin sal	250 g

Relleno

Claras de huevo	4
Chauchas	250 g
Cebollas de verdeo	3
Queso Port Salut light	200 g
Pimienta y nuez moscada	a gusto
Aceite de oliva	cantidad necesaria
Porotos crudos	un puñado

⊙ Preparación

Para la masa, tamizar las dos harinas, colocarlas en un bol y mezclarlas con la clara de huevo y el queso. Trabajar hasta obtener una masa homogénea y, de ser necesario, agregar agua fría.

Formar un bollo y dejarlo reposar cubierto con un paño durante media hora, aproximadamente.

Retirar y estirar con palote hasta obtener un disco de masa de 3 mm de espesor.

Aceitar ligeramente un molde para tarta y forrarlo con la masa.

Cubrirla con un disco de papel manteca y distribuir los porotos. Esta operación es útil para evitar que la masa se infle durante la cocción.

Precocinar la masa durante cinco minutos en horno fuerte, precalentado. Retirar y dejar enfriar.

Para el relleno, cocinar las chauchas en una olla con agua hasta que estén tiernas. Retirarlas y pasarlas a un baño de María invertido (agua con hielo) para detener la cocción.

Picarlas y picar también, por separado, las cebollas de verdeo.

Calentar un chorro de aceite en una sartén y rehogar las cebollas de verdeo. Retirarlas y mezclarlas con las chauchas, el queso Port Salut desmenuzado y las claras de huevo.

Sazonar con pimienta y nuez moscada, mezclar bien y colocar el relleno sobre la masa precocida, ya sin el papel manteca ni los porotos.

Llevar a horno fuerte y cocinar hasta que el relleno esté firme y la masa, dorada y crocante.

Batatas rellenas

⊙ Ingredientes

Batatas	6
Cebolla	1
Ají rojo	1
Nueces picadas	1 cucharada
Queso crema sin sal	2 cucharadas
Pasas de uva sin semillas	1 cucharada
Perejil picado	1 cucharadita
Ajedrea	1 cucharadita
Tomillo	1 cucharadita
Nuez moscada	1 pizca
Aceite de oliva	6 ó 7 cucharadas

⊙ Preparación

Pelar las batatas y cocinarlas en una olla con agua y la cucharadita de tomillo. Retirarlas cuando estén apenas cocidas.

Dejarlas enfriar, cortarlas por la mitad a lo largo y ahuecarlas.

Reservar la pulpa de batata extraída.

Mientras tanto, picar finamente la cebolla y el ají y rehogarlos en una sartén con el aceite.

Retirar y mezclar con la pulpa de batatas, y agregar el queso, el perejil, las pasas, las nueces, la ajedrea y la nuez moscada.

Rellenar las batatas con esta preparación y llevarlas a horno moderado hasta que la cubierta se dore.

PASTAS

Penne con crema y coliflor

⊙ Ingredientes

Penne	1/2 kg
Coliflor	1 planta pequeña
Margarina light	50 g
Cebollas	2
Crema de leche	100 g
Pimienta	a gusto

⊙ Preparación

Separar las flores de la coliflor y cocinarlas en una olla con abundante agua, hasta que estén tiernas. Retirarlas y dejarlas enfriar. Luego, trocearlas para separarlas en flores lo más pequeñas posible y reservar.

Picar finamente las cebollas, fundir la margarina en una sartén y rehogarlas hasta que estén apenas doradas.

Incorporar la coliflor, pimentar y revolver. Cocinar unos tres o cuatro minutos y verter la crema de leche.

Cocinar a fuego moderado hasta que la crema reduzca.

Mientras tanto, cocinar la pasta en abundante agua hirviendo y, cuando esté al dente, colar y mezclar con la salsa. Servir de inmediato.

Penne con salsa
de tomates picante

⊙ Ingredientes

Penne	1/2 kg
Ajo	2 dientes
Tomates al natural	1 lata
Aceite de oliva	1 pocillo
Albahaca	1 puñado de hojas frescas
Ají molido	1 cucharadita
Pimienta	a gusto

⊙ Preparación

Picar el diente de ajo y rehogarlo en una sartén en la que se habrá calentado, previamente, el aceite.

Cocinar hasta que el ajo comience a dorarse.

Agregar los tomates triturados, el ají molido, la pimienta y revolver.

Bajar el fuego a moderado y cocinar unos diez minutos.

Mientras tanto, cocinar la pasta en una olla con abundante agua, hasta que esté al dente.

Servir la pasta salseada y distribuir por encima las hojas de albahaca, previamente picadas.

Fettuccini con berenjenas

⊙ Ingredientes

Fettuccini	1/2 kg
Berenjenas	3
Tomates al natural	1/2 lata
Ají rojo	1
Cebollas	2
Ajo	2 dientes
Azúcar moreno	1 cucharadita
Aceite de oliva	6 ó 7 cucharadas
Orégano	1 cucharadita
Pimienta	a gusto

⊙ Preparación

Pelar las berenjenas, lavarlas, secarlas y cortarlas en rodajas.

Triturar los tomates, picar el ají y las cebollas, y pelar los dientes de ajo.

Calentar el aceite en una sartén amplia y dorar allí los ajos. Retirarlos e incorporar las rodajas de berenjena. Dorarlas de ambos lados.

Luego, agregar las cebollas, el ají y los tomates. Condimentar con orégano y pimienta y cocinar a fuego lento unos diez minutos.

Incorporar el azúcar, remover con cuidado y cocinar dos o tres minutos más.

Cocinar los fettuccini en una olla con abundante agua hasta que estén al dente, y servirlos salseados.

Spaghetti tailandeses

⊙ Ingredientes

Spaghettis	300 g
Carne de cerdo magra	200 g
Ajo	2 dientes
Ají rojo	1
Cebolla	1
Zanahoria	1
Puerros	2
Salsa de soja	2 cucharadas
Aceite de oliva	cantidad necesaria
Curry	1 cucharadita
Pimienta	a gusto

⊙ Preparación

Cortar todos los vegetales en juliana y picar los ajos.

Cortar la carne de cerdo en tiras.

Calentar un chorro generoso de aceite en una sartén amplia y rehogar allí, en primer lugar, la carne.

Cuando esté sellada, incorporar todas las hortalizas y los ajos. Cocinar a fuego fuerte, sin dejar de revolver, hasta que estén cocidos.

Agregar la pimienta, el curry y la salsa de soja.

Mientras tanto, cocinar los spaghettis en una olla con abundante agua hasta que estén al dente.

Incorporar los spaghettis a la sartén, mezclar y servir de inmediato.

Masa básica para pastas

⊙ Ingredientes

Harina de trigo 0000	300 g
Huevo	1
Aceite de oliva	2 cucharadas
Agua	cantidad necesaria

⊙ Preparación

En la procesadora, mezclar todos los ingredientes hasta formar una pasta firme que se pueda amasar.

Envolver la masa con papel film y dejar reposar durante una hora a temperatura ambiente, cubierta con un repasador.

Estirar la masa hasta que quede bien fina y dejar que se oree durante unos minutos más.

Cortar fideos o formar bolitas para ñoquis, o bien, dividir en dos cuadrados grandes para hacer planchas de ravioles.

Raviolones caseros al filetto

⊙ Ingredientes

Masa básica para pastas	cantidad necesaria
	(Ver receta en pág. 53)
Brócoli	2 plantas
Queso mozzarella sin sal	100 g
Ricota sin sal	200 g
Clara de huevo	1
Salsa filetto	1 taza (Ver receta en pág. 9)
Albahaca fresca	2 cucharadas
Pimienta y nuez moscada	a gusto

⊙ Preparación

Separar la planta de brócoli en flores pequeñas y cocinarlas en una olla con agua hirviendo. Cuando estén tiernas, retirarlas y pasarlas a un baño de María invertido (agua con hielo) para detener la cocción.

Procesarlas junto con la ricota, el queso, la pimienta, la nuez moscada y la clara de huevo.

Aparte, separar la masa en dos bollos. Estirar cada una de las mitades hasta obtener una lámina fina y hacer un diseño cuadriculado en la masa, sin cortarla, "dibujando" cuadrados de 7 centímetros de lado.

En el centro de cada cuadrado, colocar una cucharada abundante del relleno de brócoli, queso y ricota. Pintar los bordes de cada cuadrado y tapar con la otra lámina de masa. Presionar bien los bordes y cortar los raviolones por las marcas hechas anteriormente.

Hervir la pasta en abundante agua. Servirlos rociados con la salsa filetto y distribuir las hojas de albahaca en cada plato, antes de llevar a la mesa.

Caseritos al pesto de almendras

⊙ Ingredientes

Masa básica para pastas	1/2 kg (Ver receta en pág. 53)
Ajo	10 dientes
Albahaca fresca	20 hojas
Queso rallado light	6 cucharadas
Almendras picadas	1/2 taza
Aceite de oliva	1 taza aproximadamente

⊙ Preparación

Pelar los dientes de ajo y machacarlos en un mortero junto con la albahaca y las almendras, o procesarlos.

Incorporar el queso rallado y luego el aceite, en forma de hilo, sin dejar de mezclar. Reservar a temperatura ambiente.

Mientras tanto, separar el bollo en mitades y estirar cada uno hasta que estén bien delgados.

Enharinar y enrollar la masa así estirada como si se hiciera un arrollado.

Con un cuchillo sin dientes pero filoso, cortar tajadas del ancho deseado para los fideos, desenrollar cada tajada e ir disponiendo los fideos sobre la mesada enharinada.

Dejar que los fideos se oreen una media hora, y luego cocinarlos en una olla con abundante agua, hasta que estén al dente.

Servirlos de inmediato, rociados con el pesto.

Tartellettis de zapallo y choclo

⊙ Ingredientes

Masa básica para pastas	1 kg (Ver receta en pág. 53)
Zapallo	1/2 kg
Choclo desgranado cremoso	1/2 lata
Cebollas de verdeo	4
Ají molido	1 cucharadita
Orégano	1 cucharadita
Albahaca fresca	2 cucharadas
Salsa filetto	2 tazas (Ver receta en pág. 9)
Pimienta	a gusto

⊙ Preparación

Separar el bollo de masa en mitades y estirar cada una hasta obtener láminas de 2 mm de espesor, aproximadamente.

Cortar círculos de alrededor de 8 cm de diámetro, y reservar.

Cortar el zapallo en trozos y cocinarlos en una olla con agua hasta que estén tiernos.

Retirarlos, hacer un puré y agregarle el choclo desgranado.

Picar las cebollas de verdeo, incluso las hojas verdes tiernas, y añadirla a la preparación anterior. Condimentar con el ají molido, el orégano y la pimienta.

Rellenar los tartellettis, cerrarlos y cocinarlos en una olla con abundante agua, hasta que estén listos.

Calentar la salsa filetto y servir los tartellettis cubiertos por ella. Distribuir por encima de cada plato la albahaca fresca picada.

Fettuccini con verduras y crema

⊙ Ingredientes

Masa básica para pastas	1/2 kg (Ver receta en pág. 53)
Espárragos	100 g
Apio	2 tallos
Cebolla	1
Zanahoria	1
Ají verde	1
Crema de leche	200 g
Margarina light	50 g
Perejil picado	2 cucharadas
Pimienta	a gusto

⊙ Preparación

Cocinar los espárragos en una olla con abundante agua hasta que estén tiernos. Retirarlos y cortarlos en secciones de 1 cm.

Picar la cebolla y el ají, y cortar la zanahoria en daditos pequeños.

Fundir la margarina en una sartén a fuego moderado, incorporar la cebolla y saltear hasta que esté bien dorada. Agregar el apio picado y la zanahoria y cocinar durante diez minutos.

Incorporar el ají y cocinar hasta que las verduras estén tiernas.

Pimentar, agregar los espárragos y la crema de leche, revolviendo de vez en cuando, hasta que esta última se haya reducido a la mitad. Retirar del fuego y reservar.

Estirar la masa, enrollarla y cortar los fettucini del ancho deseado.

Colocar una olla con abundante agua para hervir la pasta. Cuando la pasta esté cocida, colar e incorporar la salsa. Espolvorear con el perejil y servir.

Glosario de términos

Aceite de oliva: Líquido de color verde amarillento, que se extrae de la aceituna u oliva.

Ajedrea: Hierba de la familia de las Labiadas, de hojas lanceoladas y flores blanquecinas. Es aromática y se emplea para condimentos.

Ají: Pimiento, guindilla, achú.

Ajo: Planta de la familia de las Liliáceas cuyo bulbo redondo y de olor fuerte se emplea como condimento.

Albahaca: Alábega, alfábega, alfavaca, basilico, hierba de vaquero.

Almendra: Semilla del almendro.

Almidón: Fécula, sagú, salop, tapioca. Sustancia orgánica que constituye la reserva de los vegetales. Se encuentra en las semillas de los cereales.

Apio: Celeri, arracacha.

Arroz: Casulla, macho, palay.

Atún: Tuna, bonito. Pescado marino de gran tamaño, de cuerpo fusiforme negro azulado en el lomo y blanquecino en el vientre, que efectúa migraciones y asciende por los ríos para desovar; su carne granulosa y seca es muy sabrosa, y es muy apreciada, fresca o en conserva.

Batata: Camote, boniato, moñato, buniato, moniato, papa dulce.

Berenjena: Alción, pepino morado, berinjuela.

Brócoli: Brécol, bróculi.

Calabaza: Zapallo, bulé, cachampa, liza, abóbora, auyama, ayote, chayote, pipiane, güicoy.

Camarón: Gamba, quisquilla. Pequeño crustáceo marino comestible.

Canela: Corteza del canelo. Condimento en rama o en polvo para aromatizar dulces y otros manjares.

Cebolla: Hortaliza de bulbo comestible y el bulbo de esa planta.

Cebolla de verdeo: Cebolla china, cebolleta, cebolla en rama, cebolla junca, cebollita de Cambray, cebolla de almácigo.

Champiñón: Callampa, seta, hongo.

Chaucha: Judía verde, vaina.

Choclo: Chilote, elote, jojote, jojoto, marlo, mazorca de maíz, panocha.

Coliflor: Variedad de col de centro muy carnoso.

Comino: Kümmel. Cuminum cynimum, de las umbelíferas que comprende unas 2.500 especies. Las flores pueden ser blancas o rosadas. Se puede usar entera o molida.

Coriandro: Cilantro, culantro, hierba aromática.

Crema de leche: Nata. Sustancia grasa de la leche.

Curry: Condimento de la India compuesto de cúrcuma, jengibre, clavo, azafrán, cilantro, pimienta molida y otras especias.

Echalotte: Chalofa, chalota, escalonia.

Eneldo: Planta herbácea usada como condimento. Se la conoce también como hinojo hediondo.

Espárrago: Brote tierno, turión o yema de la esparraguera, de tallo blanco y cabezuela morada.

Espinaca: Planta hortense de hojas radicales en roseta que se consumen cocidas o crudas.

Estragón: Dragoncillo, hierba aromática usada como condimento.

Garbanzo: Mulato.

Lenguado: Lonja, pescado de mar chato de carne sumamente apreciada.

Harina: Polvo resultante de moler semillas de diversas legumbres, especialmente de trigo, centeno, cebada y maíz.

Jengibre: Kion, jengibre.

Jerez: Vino blanco, seco, de fina calidad y de alta graduación alcohólica. Es originario de Jerez de la Frontera, en España. Entre sus variedades figura el amontillado.

Kiwi: Kivi. Fruta de corteza castaña, pilosa, y pulpa de color verde, de origen chino, pero cultivada masivamente en Nueva Zelanda.

Laurel: Planta cuyas hojas coriáceas se utilizan como aromatizante. Muy común en los platos populares como la salsa de estofado.

Limón: Fruto del limonero, ovoide, de color amarillo pálido y de sabor ácido.

Lomo: Solomillo, filete, diezmillo.

Manzana: Fruto comestible del manzano, que se consume fresco o en compota, jalea o mermelada o en postres y masas. Su jugo fermentado produce la sidra.

Margarina: Manteca o mantequilla de origen vegetal.

Mayonesa: Mahonesa. Salsa compuesta de yema de huevo y aceite batidos y sazonada con sal y jugo de limón.

Mejorana: Amáraco, orégano, mayorana, sampsuco.

Melisa: Toronjil, toronjina, cidronela.

Merluza: Pescada. Pescado marino comestible, de carne sabrosa muy apreciada, abundante en el mar argentino. Se pesca activamente en todos los mares.

Mermelada: Conserva hecha de fruta cocida con azúcar.

Miel de abejas: Sustancia viscosa, amarillenta y muy dulce que producen las abejas.

Mostaza: Jenable, mostazo, jenabe. Salsa o condimento.

Mozzarella: Flor di latte. Quesillo italiano de pasta blanda hecho con leche de vaca o de búfalo.

Naranja: Fruto comestible del naranjo, de color amarillento rojizo, es decir, anaranjado, de pulpa en gajos, dulce y muy jugosa. Su forma es muy variada: redonda, achatada, ovalada, piriforme. Hay numerosas variedades que se reúnen en tres grupos: las navel, las sanguinas o rojizas y las normales o blancas.

Nuez: Fruto seco del nogal con epicarpio duro, drupa de forma ovoide y con dos cortezas: una exterior verde, lisa y caediza y, una interior, dura y rugosa, dividida en dos mitades simétricas que encierran la semilla, alimento apreciado, y de la que se extrae el aceite.

Nuez moscada: Macis. Fruto de la mirística de forma ovoidea, con una almendra interior que se usa como condimento y con la que se aromatiza, por lo general, el puré de papas.

Orégano: Amáraco, mejorana, sampsuco.

Papa: Patata.

Pasa de uva: Uva seca, enjugada en la vid o artificialmente al sol o por otros procedimientos.

Pavita: Hembra joven del pavo de carne muy apreciada.

Peceto: Pecheto. Músculo de la parte posterior del cuarto trasero de la res.

Pepinillo: Pepino Cohombro.

Perejil: Parsley. Hierba muy perfumada, de agradable sabor y color verde.

Pimentón: Ají o pimiento americano, seco y molido.

Pimienta: Pebre. Fruto del pimentero cuya semilla se muele para utilizarla como condimento.

Pimienta de Cayena: Especie de ají molido muy picante.

Poroto: Alubia, caraota, ejote, fréjol, frijol, guandú, habichuela, judía. Voz quechua, frijol, alubia, judía.

Puerro: Ajo porro, poro, porro.

Remolacha: Betabel, betarraga, botabel, beterave.

Repollo: Col, berza. Cabeza redonda que forman las hojas apiñadas de ciertas plantas. Planta hortense.

Ricota: Cuajada, requesón, quesillo, majo, ricotta.

Romero: Arbusto cuyas hojas aromáticas son empleadas en la cocina. Hojas de ese arbusto que se adquieren frescas o secas.

Salsa de soja: Salsa de soya, sillao.

Suprema: Pechuga de ave sin huesos ni piel, cortada en tajadas. Rodaja de la parte más ancha de la merluza o rape.

Ternera: Becerra, mamón, vitela, jata.

Tomate: Jitomate.

Tomate perita: Tomate o jitomate pequeño en forma de pera.

Tomillo: Chascudo, satureja.

Yogur: Leche cuajada. Variedad de leche fermentada.

Zanahoria: Azanahoria, cenoura.

Zapallo: Abóbora, auyama, ayote, calabaza, chayote, güicoy, pipiane, uyama. Aunque no es exactamente lo mismo que la calabaza, en algunos países es indistinto su uso.

Zucchini: Calabacín, calabacita, zapallito italiano, zapallito largo.

OPERACIONES PARA OBTENER CORRESPONDENCIAS

Onzas a gramos ⟶ multiplicar la cantidad expresada en onzas por 28,3 para obtener la correspondencia en gramos.

Gramos a onzas ⟶ multiplicar la cantidad expresada en gramos por 0,0353 para obtener la correspondencia en onzas.

Libras a gramos ⟶ multiplicar la cantidad expresada en libras por 453,59 para obtener la correspondencia en gramos.

Libras a kilogramos ⟶ multiplicar la cantidad expresada en libras por 0,45 para obtener la correspondencia en kilogramos.

Onzas a mililitros ⟶ multiplicar la cantidad expresada en onzas por 30 para obtener la correspondencia en mililitros.

Tazas a litros ⟶ multiplicar la cantidad expresada en tazas por 0,24 para obtener la correspondencia en litros.

Pulgadas a centímetros ⟶ multiplicar la cantidad expresada en pulgadas por 2,54 para obtener la correspondencia en centímetros.

Centímetros a pulgadas ⟶ multiplicar la cantidad expresada en centímetros por 0,39 para obtener la correspondencia en pulgadas.

Índice